Cajoline
Au revoir, la suce

Texte et illustrations : François Daxhelet

À Mylane et à Mathilde

Boomerang
Éditeur jeunesse

Ouin ! ouin ! Cajoline, quand elle était toute petite,
pleurait et pleurait presque sans arrêt.
Son papa et sa maman, ne pouvant plus dormir,
se trouvèrent bien vite très fatigués.

Un soir, alors qu'elle pleurait dans son lit,
Cajoline vit un objet étrange s'approcher
de sa bouche. C'était la suce !
Mmmm ! que c'est bon ! Cajoline se mit
à téter doucement et s'endormit aussitôt.

Les mois passèrent. Cajoline avait grandi.
La suce était devenue une amie
inséparable qui l'accompagnait dans
toutes ses activités de la journée.

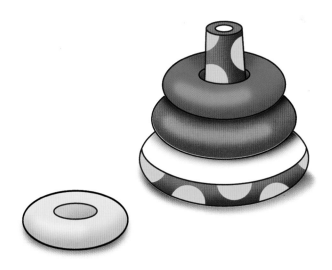

La suce, pour Cajoline, était comme
un trésor ! Elle aimait parfois s'installer sur
le tapis du salon uniquement pour l'admirer
et lui raconter ses petits secrets.

Un beau jour, son papa
et sa maman lui confièrent :
– Tu n'es plus un bébé maintenant,
mon amour, tu es presque une grande fille.
Nous croyons qu'il est temps pour toi
de te séparer de ta suce et de
l'envoyer au roi lapin.
– Au roi lapin ? s'étonna Cajoline.

– Les lapins qui vivent dans la forêt ont les dents qui poussent sans arrêt, ce qui leur cause bien du souci. Tu rendrais service à un petit lapin en lui offrant ta suce, car il pourrait enfin user ses dents...

...Si tu es d'accord, nous enverrons ta suce par la poste au roi lapin, qui la remettra à un petit lapin qui en a bien besoin.

Cajoline imagina alors les petits lapins dans la nature, si heureux de recevoir ce précieux cadeau. Malgré sa peine de quitter sa suce, elle décida de les aider.

Elle fit un beau dessin, et maman écrivit
au roi lapin une lettre qui expliquait
que Cajoline avait beaucoup de courage
d'offrir ainsi sa suce.

Une fois la suce dans
l'enveloppe, Cajoline et sa
maman se rendirent à la boîte
aux lettres pour la déposer.
– Au revoir, chère suce,
dit Cajoline tristement.

La nuit fut difficile, car
Cajoline s'ennuya beaucoup
de sa suce. Elle tourna et tourna
longtemps dans son lit et pleura même
un petit peu avant de s'endormir.

Le lendemain matin, lorsque Cajoline
se leva, une surprise l'attendait.
Une enveloppe rouge saupoudrée d'étoiles dorées
était placée sur la table du salon.
À l'intérieur se trouvait une lettre décorée
de dessins magnifiques.

– C'est une lettre du roi lapin, dit papa.
Il te dit merci pour ton cadeau,
tu rendras sans doute un petit lapin
très heureux grâce à ta suce.
Cajoline fut si fière qu'elle rit aux éclats !
Sa peine d'avoir quitté sa suce
se dissipa peu à peu.

Chaque fois que sa suce lui manquait,
Cajoline pensait au petit lapin dans le bois
qui se promenait, sa suce à la bouche pour
empêcher que ses dents deviennent trop grandes.
– Merci, Cajoline, disait-il, tu es
une grande fille maintenant !

Albums de lecture*

9782895950769

9782895950776

9782895951070

9782895951179

9782895951865

9782895951971

9782895952244   9782895952374   9782895953067

*Également offert avec
une couverture matelassée :
La fée politesse : 9782895952763
Vive le partage ! : 9782895952794
Le lutin Range-tout : 9782895952770
Bon appétit ! : 9782895952787
Le petit pot : 9782895951810
Au revoir, la suce : 9782895951827
Chez le dentiste : 9782895953708

9782895952176

J'apprends avec Cajoline

9782895952091

9782895952107

9782895952084

9782895952077

9782895953319

9782895953302

9782895953289

9782895953296

9782895953326

Coloriages avec autocollants

2895951721

2895951713

Imagier

9782895952367

Cartes éclair

9782895953333   9782895953340

Calendrier de motivation

9782895952886

Petits cartonnés

9782895952978

9782895952985

9782895953425

9782895953418

© 2006 Boomerang éditeur jeunesse inc.
2e impression : janvier 2009

Tous droits réservés. Aucune partie de ce livre ne peut être copiée ou reproduite sous quelque forme que ce soit sans la permission écrite de Copibec.

Gouvernement du Québec – Programme de crédit d'impôt pour l'édition de livres – Gestion SODEC

Boomerang éditeur jeunesse remercie la Société de développement des entreprises culturelles (SODEC) pour l'aide accordée à son programme éditorial.

Nous reconnaissons l'aide financière du gouvernement du Canada par l'entremise du Programme d'aide au développement de l'industrie de l'édition (PADIÉ) pour nos activités d'édition.

Imprimé en Chine
Dépôt légal - Bibliothèque et Archives nationales du Québec, 1er trimestre 2006
ISBN 978-2-89595-182-7